P9-EMJ-856

金老爷买钟

文·图／[美]佩特·哈群斯　译／陈太阳

明天出版社

图书在版编目(CIP)数据

金老爷买钟／[美]哈群斯编绘；陈太阳译.
—济南：明天出版社，2010.12
(信谊世界精选图画书)
ISBN 978-7-5332-6429-1
I. ①金… II. ①哈…②陈… III. ①图画故事—美国—现代 IV. ①I712.85
中国版本图书馆CIP数据核字(2010)第237326号

山东省著作权合同登记号　图字：15-2008-144号

CLOCKS AND MORE CLOCKS

金老爷买钟

文・图／[美]佩特・哈群斯　译／陈太阳
总策划／张杏如　责任编辑／刘 蕾　美术编辑／于 洁
特约编辑／高明美 马永杰 刘维中　特约美编／黄锡麟 王素莉
出版人／胡 鹏　出版发行／明天出版社　地址／山东省济南市胜利大街39号
网址／www.tomorrowpub.com　www.sdpress.com.cn
经销／各地新华书店　印刷／上海中华商务联合印刷有限公司
开本／248×203毫米　16开　印张／2.5
版次／2010年12月第1版　2010年12月第1次印刷
ISBN 978-7-5332-6429-1　定价／28.80 元

献给　莉莉·格温德瑞

一天，金老爷在他的阁楼里找到了一只钟。

钟站在那里，
看上去真不错呀。

“怎么才能知道它准不准呢？”他盘算着。

于是，
他就出去买了另一只钟，

并且把钟放在了卧室里。

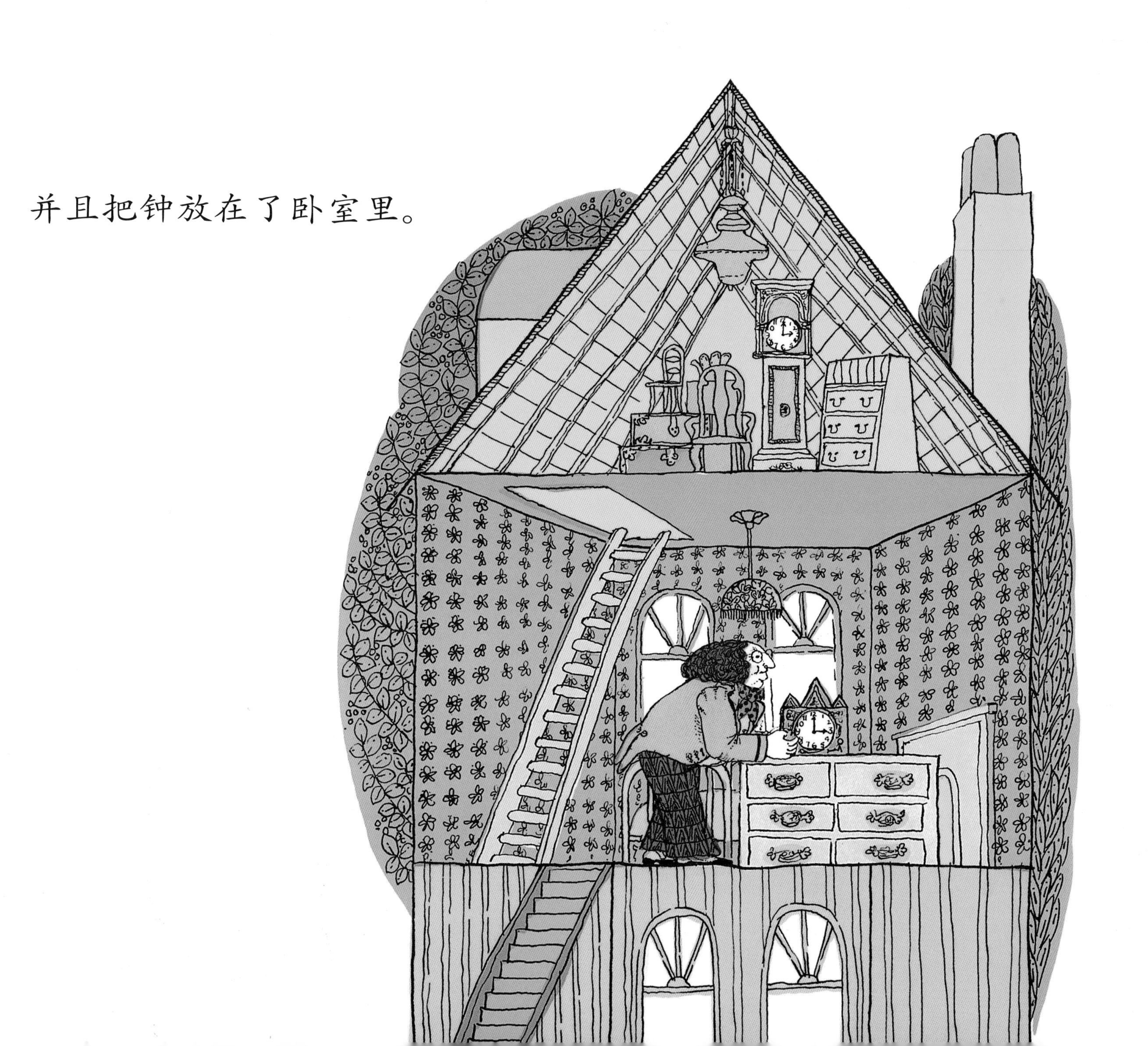

“三点整，”金老爷说，
“我得去看看阁楼里的那只钟对不对。”

他赶紧跑上阁楼，
可那只钟指向的时间却是三点零一分。
“我怎么知道哪只钟才是准的呢？”
他糊涂了。

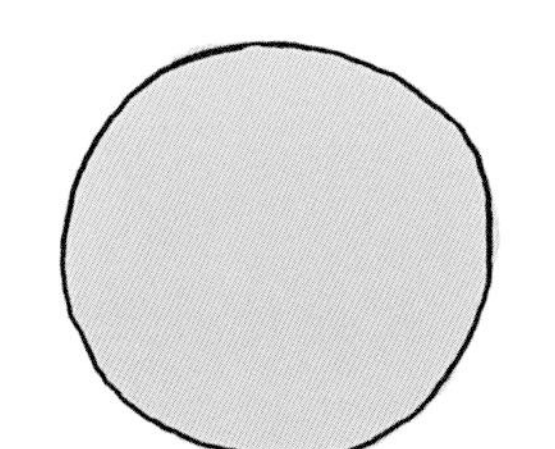

于是，金老爷又出去买了另一只钟，

并且将它放在了厨房里。

“三点五十分，

我得查查其他两只钟！”

他飞快地跑上阁楼，

可阁楼里的钟却指向三点五十二分。

他跑下楼来到了卧室，
卧室的钟是三点五十三分。
“我还是不知道哪只钟才是
准确的。”

他只好出去再买了一只钟，

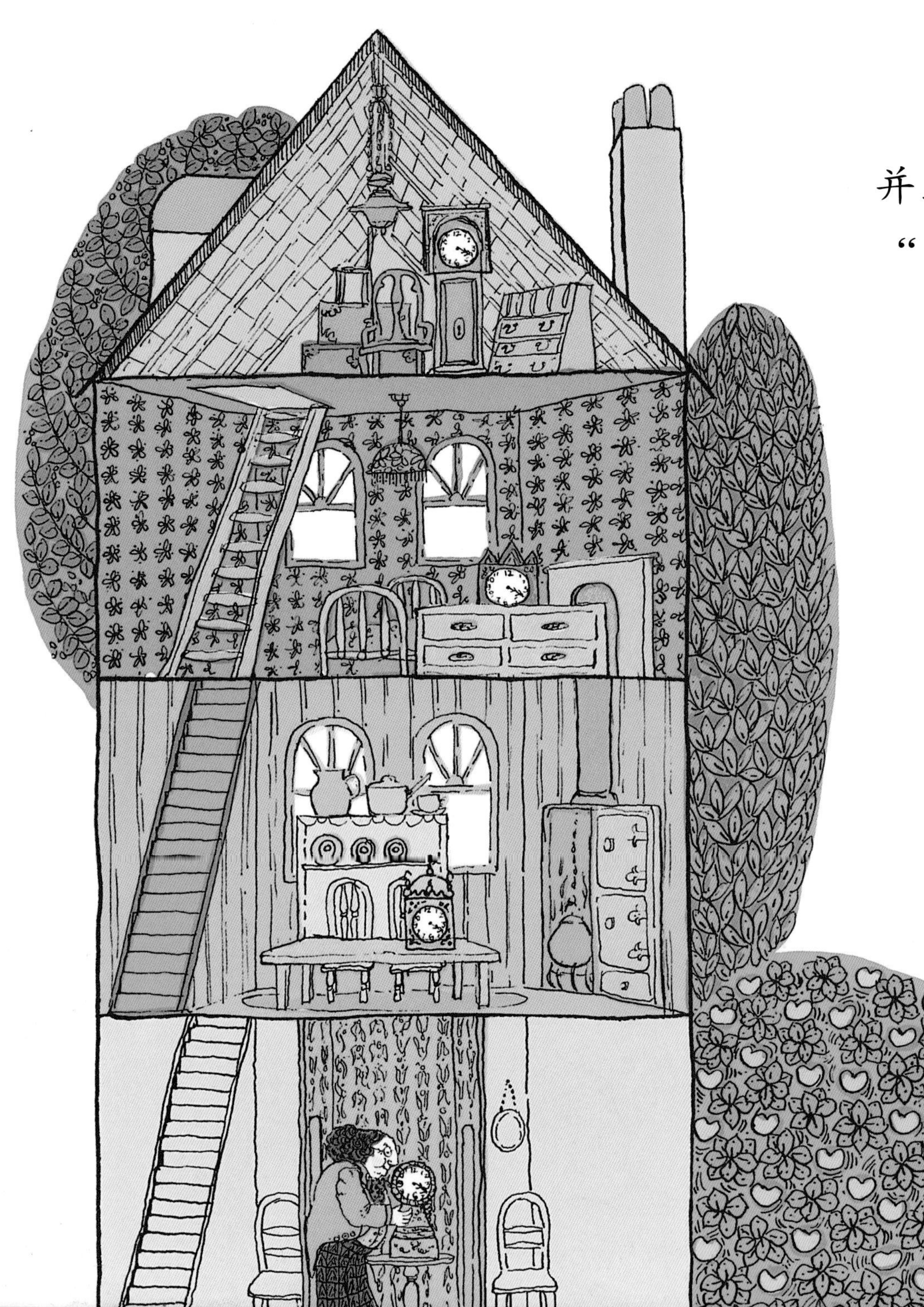

并且将它放在了门厅里。

“四点二十分。”他说道。

接着他飞快地上了阁楼，
那儿的钟指向四点二十三分。

他又飞快地下楼来到厨房，
那儿的钟却指向四点二十五分。

他又飞快地上楼来到卧室，
卧室里的钟竟然是四点二十六分。
“这简直糟透了！”金老爷没招儿了。

所以金老爷只好去找钟表师傅帮忙。

他问道：

“我门厅里的钟是四点二十分，

“阁楼里的钟却是四点二十三分，

“而厨房里的钟是四点二十五分，

“卧室里的钟是四点二十六分，

“我不知道哪一个才是对的。”

于是，钟表师傅决定去金老爷家
看看那些钟。

门厅里的钟指向五点整。“这只钟一点问题都没有。”钟表师傅说，“不信你看！”

厨房里的钟指向五点零一分，

“我没错吧！”金老爷激动地大叫道，

“你的表是五点整，但是现在已经过一分钟了！”

“你看我的表。”钟表师傅说。

卧室里的钟指向五点零二分。

“百分之百正确呢！”钟表师傅肯定地说道，“你看！”

阁楼里的钟指向五点零三分。

“这只钟也没问题！”

钟表师傅看着自己的表说，“你看！”

“这只表真是太妙了！”金老爷说。

于是，他立刻出门
买了一只表。
自从他买了那只表以后，

所有的钟都非常准确了。